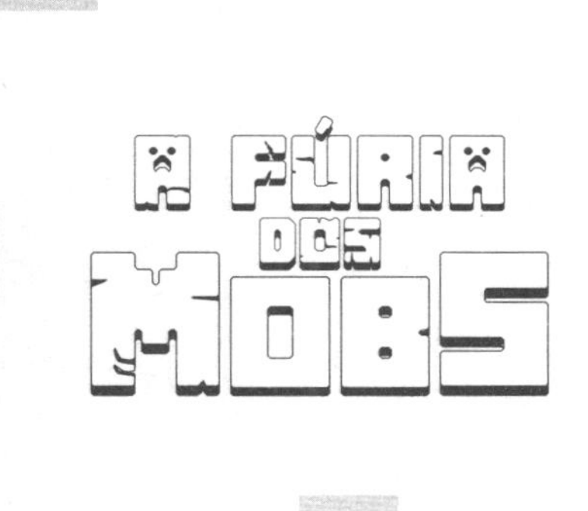
A FÚRIA
DOS
MOBS

CB051502

SPOK

com Nathan Spencer

Uma aventura não oficial de MINECRAFT

1ª edição - Setembro de 2016

Grafia atualizada segundo o Acordo Ortográfico da Língua Portuguesa
de 1990, que entrou em vigor no Brasil em 2009

Editor e Publisher
LUIZ FERNANDO EMEDIATO

Diretora Editorial
FERNANDA EMEDIATO

Assistente Editorial
ADRIANA CARVALHO

Capa e Projeto Gráfico
ALAN MAIA

Diagramação
KAUAN SALES

Ilustração de capa
ESTÚDIOMIL

Preparação
GUSTAVO MAGNANI
JOSIAS ANDRADE
LEOCLÍCIA ALVES

Revisão
MARCIA BENJAMIM

DADOS INTERNACIONAIS DE CATALOGAÇÃO NA PUBLICAÇÃO (CIP)
(Câmara Brasileira do Livro, SP, Brasil)

Spok
A fúria dos Mobs / Spok, com Nathan Spencer.
-- São Paulo : Geração Editorial, 2016.

ISBN 978-85-8130-354-3

1. Jogos eletrônicos 2. Jogos por computador
3. Minecraft 4. Recreação 5. Videogames I. Título.

16-04250 CDD: 794.8

Índices para catálogo sistemático

1. Videogames : Jogos por computador :
Recreação 794.8

GERAÇÃO EDITORIAL

Rua Gomes Freire, 225 - Lapa
CEP: 05075-010 - São Paulo - SP
Telefax.: (+ 55 11) 3256-4444
E-mail: geracaoeditorial@geracaoeditorial.com.br
www.geracaoeditorial.com.br

Impresso no Brasil
Printed in Brazil

ESCREVA O SEU MAIOR SONHO

Entregue essa página para o Spok

AGRADECIMENTO

Eu sou grato a tanta coisa...

Primeiramente a Deus, por colocar tantas pessoas de bom coração em minha vida.

Sou grato a vocês, meus inscritos, por me apoiarem e por estarem sempre comigo, e por me permitirem estar com vocês. Obrigado por tornarem meu sonho realidade todos os dias.

Meu eterno agradecimento, esse livro é pra vocês!

Spok

SOBRE O MINECRAFT

Minecraft é um *game* lançado em 2011 pela Mojang — empresa sueca de jogos eletrônicos. Logo tornou-se uma febre mundial em computadores e *videogames*, batendo recordes impressionantes. É hoje o jogo independente mais vendido no mundo. É também o jogo mais popular no *YouTube*.

Em Minecraft, o jogador passa a viver num universo totalmente diferente de nossa realidade. Trata-se de uma dimensão gigantesca (sua área jogável é superior ao tamanho da Terra!), onde tudo é formado por blocos perfeitamente quadrados, de todas as cores e tamanhos. Esses blocos formam tudo o que existe por lá.

SPOK

No mundo de Minecraft, o jogador pode interagir com todos os elementos, podendo colher materiais e usá-los da forma como desejar. Para isso, deve construir suas próprias ferramentas de trabalho: picaretas, enxadas, pás, tochas etc. Para proteger-se, ele pode construir armas, como espadas; e confeccionar armaduras resistentes, obtidas com a mineração. A energia que obtém para fazer tudo isso vem dos alimentos que ele mesmo tem que conseguir, caçando ou coletando.

Durante o dia, pode-se explorar calmamente a superfície, valendo-se de sua beleza exuberante, mas quando a noite cai, monstros terríveis surgem e o jogador é perseguido de forma implacável. Suas construções e seus pertences também são colocados em risco. Nessa hora, vale tudo para sobreviver e manter seu império!

SOBRE OS MOBS

Os mobs são as criaturas que habitam o mundo de Minecraft. Muitos são de boa, sossegados, como os animais e os aldeões, já outros são bravos e agressivos, como os que protagonizam essa aventura eletrizante!

Quer ver? Dá uma olhada em algumas características destes últimos:

Creeper: São criaturas verdes, de corpo alongado, equipadas com explosivos dentro delas mesmas! Eles não têm braços e andam deslizando seus quatro pés pelo chão. Os *creepers* são silenciosos e perigosos! Suas explosões costumam causar grandes estragos. Essas criaturas toleram a luz do sol, diferentemente da maioria dos outros mobs hostis.

⨯⨯

Zumbi: Você não vai ver um desses passeando todo alegre à luz do sol. Isso porque eles queimam e morrem se saírem de dia. Só que na escuridão, caminham lentamente, soltando grunhidos raivosos. Perseguem o jogador e o atacam corpo a corpo. Não usam armas. Em alguns casos podem infectar um aldeão, transformando-o em um aldeão zumbi.

⨯⨯

Esqueleto: Perseguem os jogadores segurando um arco. São muito bons de mira. Podem atacar de longe. São conhecidos pelo barulho que emitem ao se aproximar: é o chacoalhar de seus ossos. Eles não suportam a luz do sol, mas diferentemente dos zumbis, buscam lugares de pouca iluminação para se esconder e espiar durante o dia.

xx

Aranha: Vivem na floresta e nas cavernas. Não são agressivas durante o dia, só se forem atacadas. À noite, porém, se transformam no bichão. Seus ataques são rápidos e sua picada pode envenenar o jogador.

xx

Aranha da caverna: Menores do que as aranhas que habitam a floresta, são encontradas em minas abandonadas e cavernas em geral. Sua picada é mais perigosa do que a da aranha da floresta, tem mais chances de envenenar.

Enderman: São mobs neutros, de aparência humanoide. Só atacam se forem atacados. Têm corpo esguio e possuem a habilidade de se teletransportar. Podem transportar (e roubar) blocos também. Tímidos, os *endermen* não curtem muito que olhem em seus olhos. Se você olhar, se prepare pra luta!

Vivem em uma dimensão paralela chamada *The End*.

Bruxas: Habitam casinhas nos pântanos. Atacam os jogadores atirando poções de veneno, dano e lentidão.

CAPÍTULO 1

"QUE LUGAR É ESSE?"

Spok acordou confuso, levantou do chão devagar e olhou em volta.

Por um instante, tudo girou, ele estava zonzo. Via uns pontinhos negros no ar, e eles tremulavam. Era sua visão se acostumando com a claridade.

Aos poucos, os pontinhos sumiram e ele começou a enxergar melhor, com mais nitidez.

Era dia. O sol estava a pino num céu azul com poucas nuvens. Ele pensou ter ouvido mugidos e cacarejos.

Vacas? Galinhas?

Onde estou? Que lugar é esse?, ele pensou e esfregou os olhos com força.

Por que ele estava vendo tudo *bugado?*

O sol, o céu, as nuvens, o campo verde onde pisava, umas estranhas cascatas de água e lava. Mais longe, árvores, flores e plantas. Ainda mais longe, montanhas nevadas (montanhas?!)... Tudo tinha um aspecto quadrado, como se estivessem dentro de um jogo do Mario Bros, aquele que seu pai jogava, do encanador herói, clássico da Nintendo. Ali era como se tudo fosse feito nesse esquema, estruturado com pequenos blocos quadrados, pequenos *pixels* de cores variadas, e ali existiam em três dimensões.

Tudo! Era bizarro.

Eu tô sonhando? Ou..., Spok beliscou um dos braços, e foi aí que percebeu algo ainda mais louco. Seu próprio corpo já não era como antes. Ele estava todo quadrado! As pernas, os braços, as mãos, e até os dedos... tudo agora era feito de quadrados proporcionais ao tamanho real que ele *tinha* antes.

O que aconteceu comigo?, de boca aberta e pernas bambas, Spok caiu no chão. Tocou todo seu corpo, tentando fazer aquilo tudo desaparecer, tentando fazer ele voltar a ser um menino normal de treze anos.

* * *

— Eu virei um robô! — ele exclamou, com as mãos erguidas.

Por algum motivo desconhecido...(provavelmente seu cérebro quadrado resolveu tranquilizá-lo para ele não enlouquecer de vez), Spok começou a se sentir menos desesperado. Como ele sempre foi um dos meninos mais zoeiros da vizinhança em seu mundo, era natural que logo se sentisse extremamente curioso por aquele *outro mundo*.

Levantou-se, decidido, mas ainda tenso, e começou a andar pelos arredores.

Ele tinha *brotado* numa imensa planície verde, toda coberta por gramas e arbustos. Em alguns cantos cresciam flores vermelhas, amarelas e azuis. Algumas bem pequeninas, outras, maiores. Mesmo com o aspecto quadrado, ele as achou lindas.

Ao longe, Spok viu o que parecia ser uma floresta. Ele apressou o passo e dirigiu-se até lá. Ao olhar para as outras direções enquanto caminhava, viu enormes elevações: eram montanhas escarpadas, que se estendiam até as nuvens! Spok apertou os olhos, como sempre fazia quando queria enxergar mais além. Ele percebeu o que parecia neve, lá no alto daquelas montanhas.

— Uau!

Quanto mais perto chegava da floresta, mais ouvia uns barulhos esquisitos e suspeitos. Não tinha muita certeza do que era. Se fossem animais, poderiam ser perigosos? *Se fossem pessoas... não seriam pessoas,* ele pensou, *só se fosse algum doido fazendo esses barulhos.*

O som estava cada vez mais alto... cada vez mais assustador... ah! Quando viu o que era, riu de si mesmo, do seu medo besta. Era um grupo de vacas pastando na beira de um pequeno rio. Em volta da água havia muitas árvores de troncos grossos cobertos de musgo.

Viu também galinhas (bonitinhas e quadradinhas), que andavam para um lado e para outro, cacarejando, em pequenos bandos, de duas ou três. Elas cutucavam o chão com seus bicos, deviam estar procurando minhocas ou grãos para comer (será que as minhocas também são quadradas?).

E havia porcos!

Sim! Porcos! Rosados, gordinhos e quadrados! Comiam arbustos perto do rio, e alguns caminhavam, grunhindo alegremente.

Spok se aproximou dos animais. Eles não ficaram assustados com a presença dele. Continuaram comendo e bebendo, despreocupados.

⁂

Spok estava tão distraído observando aquele bioma exuberante, que nem se deu conta quando o sol começou a se pôr.

Viu pequenas sombras no chão, olhou para o horizonte já todo alaranjado e sentiu medo.

Spok tinha medo do escuro. Seu coração começou a acelerar dentro do peito. Ele olhou em volta procurando alguma tábua de salvação, que nem sabia o que poderia ser. Instintivamente, começou a correr para longe da floresta, em direção à planície.

Tá escurecendo rápido demais!, pensou.

Ele tentou correr ainda mais, quase tropeçou. Impossível! Seu corpo não obedecia. Foi aí que se deu conta do óbvio. Estava faminto. Nem lembrava quando tinha comido pela última vez. Estava fraco.

Isso não era bom.

Ofegante, quase alcançando a borda da planície, viu uma coisa verde se aproximando. Ele pensou que fosse uma árvore. Mas quando ela chegou mais perto, o terror tomou conta dele. A coisa fazia o mesmo barulho de quando Spok acendia o pavio de bombinhas. Ele recuou e foi andando para trás, nunca ficou tão assustado. A criatura continuava avançando. Era toda estranha. Parecia *bugada*, como tudo ali. Não tinha braços, só uma cabeça e um tronco longo, equilibrada sobre quatro pés que deslizavam pelo chão.

Spok saberia mais tarde que aquele era um perigosíssimo *creeper*, prontinho para explodi-lo.

Foi tudo muito rápido. Spok começou a correr de volta à floresta. Talvez pudesse encontrar uma árvore com muitos galhos e subir nela. Mas quando chegou à área mais densa da entrada, ele viu, apavorado, que outras coisas estranhas estavam por ali!

Ele viu enormes olhos vermelhos espreitando-o alguns metros adiante, e um barulho de pernas secas estalando em meio aos arbustos. Quando ouviu os guinchos, não teve dúvida.

Aranhas!

E não era só isso... Perto delas vinham umas criaturas horrorosas, que soltavam grunhidos aterrorizantes. Pareciam humanos, mas não eram! Seus corpos estavam em decomposição. Enquanto andavam, pedaços de carne caíam no chão. As roupas estavam todas esfarrapadas. E ainda tinha o pior dessas criaturas: um odor fedido de podridão que infestava o ar.

Spok estava congelado debaixo de uma árvore, sem saber o que fazer, para onde correr ou pior, se conseguiria escapar dali. Via em câmera lenta aqueles monstros horríveis se aproximando. Estava a ponto de deixar-se cair, mas foi aí que viu uma luz.

Literalmente.

Ele viu uma tocha, que estava fincada mais ao longe, à sua esquerda.

Sem pensar duas vezes, ele tirou forças de algum lugar desconhecido e correu. A tocha estava na entrada de um buraco. Lá dentro havia outras tochas, e elas pareciam formar um caminho até o interior.

E se isso for uma armadilha?!, pensou rápido.

Mas não tinha opção. Os monstros não perdiam tempo, marchavam até Spok e, pelos grunhidos e caras feias que faziam, se o pegassem, não seriam muito gentis não.

Spok puxou a primeira tocha e a segurou com força. Seguiu as outras no chão, entrou na caverna. Havia mais tochas nas paredes, o que deixava o ambiente bem iluminado. Aquilo deixou Spok um pouco mais aliviado.

Segurou a respiração e olhou para trás, nenhum daqueles monstros fedidos e assustadores vieram atrás. O terrível barulho deles ficava mais e mais distante.

Spok continuou a seguir as tochas, descendo o que equivaleria a dois andares de um prédio. As paredes e o chão eram formados basicamente por pedra. Em alguns lugares, Spok viu blocos com pontos escuros, que depois descobriria tratar-se de minério de carvão.

A última tocha ficava na frente de uma porta de madeira clara.

Spok abriu a porta e entrou.

Seu coração vinha na boca por causa do medo. Mas ele logo respirou de alívio. Não tinha nenhum monstro mitológico de três cabeças à sua espera ali. *Pelo menos isso,* pensou. Era só uma pequena sala, perfeitamente quadrada, no formato 4 x 4.

Nas paredes, mais tochas. Num dos cantos tinha uma mesinha de madeira com desenhos esculpidos nas laterais e na parte superior. Ao lado dela, o que parecia um forno rudimentar, feito de pedra. No meio da sala havia um baú.

Spok franziu a testa. Não sabia se ficava feliz ou triste. Ele não fazia ideia do que aquelas coisas significavam, se poderiam ajudá-lo de alguma maneira.

Fincou no chão a tocha que tinha nas mãos e aproximou-se do baú. Era pequeno, meio velho... sua mãe diria que é "rústico" e bonito. Spok ficaria só com o bonito e... velho mesmo. Com cuidado, ele abriu.

Dentro, pequenos objetos. Spok pegou um a um e examinou. Ali estavam: cinco barras de ferro; um arco de madeira acompanhado de quinze flechas; um pedaço de minério vermelho, que Spok nunca viu na vida; e um livro fechado.

Mais confuso que nunca, ele sentou do lado de uma das tochas e abriu o livro. Ali, escrito à mão, ele leu:

Olá, meu amigo. Se está lendo, é porque encontrou o baú e este precário esconderijo.

Imagino que tenha chegado aqui há pouco tempo e esteja com medo, desorientado, sem entender quase nada desse lugar. Eu também já passei por isso... Quase enlouqueci nos primeiros dias. Quase morri. Mas aos poucos fui me adaptando e conhecendo melhor este mundo.

Primeiro, você precisa entender o que é mais importante aqui: sobreviver. Não falo só de coragem, mas de trabalho e persistência. Não estamos numa colônia de férias. Não estamos num parque de diversões. Bem longe disso.

Aqui é como o mundo dos primeiros seres humanos. Um mundo belo, mas hostil. Cheio de luz, mas também assombrado pela escuridão da noite, quando monstros terríveis nascem. Eles são uma horda de predadores! Não tente negociar com eles. Seu único objetivo é destruir você! Sim, você pode matá-los também, mas antes precisa compreendê-los, saber seus pontos fracos, e ter as armas certas.

Aqui não existem lojas onde você compra tudo feito. Aqui você deve extrair os materiais com suas próprias mãos e construir o que precisa. Se quer comer, plante ou vá à caça. Se quer um lugar minimamente confortável para se proteger, vá minerar e construa seu abrigo. Se quiser viver, use seu instinto e sua inteligência a seu favor, o tempo todo, pois ninguém o fará por você.

Deixei alguns itens nesse baú, que podem ajudá-lo nesse momento. São seus. Espero que saiba usar um arco. Ele pode salvar sua vida. O minério vermelho é uma pedra de redstone*. Com ela e as quatro barras de ferro, você pode criar uma bússola. Aqui é muito fácil se perder. Se você sobreviveu à primeira noite, deve saber o quanto é perigoso estar ao relento quando a noite cai.*

Pode ficar também com meu forno e minha mesinha de trabalho. Com eles, você poderá cozinhar, derreter metais e construir todas as ferramentas de que irá precisar. A dica que lhe dou agora é: recolha muita madeira, pedra e carvão. O resto você descobre sozinho.

Boa sorte!
Seu amigo,
Authentic.

O livro tinha só quatro páginas. Em três delas estava o texto escrito pelo tal Authentic. Na última, três desenhos, três pequenos tabuleiros desenhados à mão. Parecia um jogo da velha. Eles indicavam a posição de objetos em cima da mesa de trabalho (a que Authentic tinha escrito no texto).

As fórmulas ensinavam a construir um machado, uma picareta e uma espada, todos de madeira.

Spok leu as instruções com cuidado e logo entendeu como funcionava. Ele precisava de madeira, depois poderia transformá-las em tábuas e varetas; com isso seria possível encaixá-las com cuidado, e então teria um material melhor para trabalhar.

Mesmo faminto e cansado, Spok sentiu-se feliz por ter encontrado aquele lugar. Authentic devia ser um cara muito legal, por ter deixado tudo aquilo para ele, sem nem mesmo conhecê-lo. Spok ficou curioso. Como esse Authentic era? Será que tinha vindo de onde ele veio? E onde estaria agora? Será que... estaria vivo?

Spok resolveu descansar um pouco na segurança daquele abrigo e esperar o dia nascer para buscar madeira na floresta. Ele lembrava de ter visto frutos em algumas árvores, pareciam suculentas maçãs. Sua boca encheu de água só de pensar. Ele iria pegar muitas. Até porque... sobre caçar... como Authentic escreveu na carta, Spok não tinha certeza se conseguiria matar um animal.

CAPÍTULO 2

A REUNIÃO DOS MOBS

núcleos de minério de ferro e ouro. Em seguida, marcaram os lugares para depois trazerem as picaretas e darem início ao trabalho.

— Tchauzinho, galera — falou Authentic.

Ele era assim. Sempre dava um jeito de fazer algo diferente. Enquanto os outros iluminavam as paredes, ele queria procurar *dungeons*. Era obcecado por isso.

— Vai lá, ô malucão. Vê se não morre — disse Likea, voltando a seu trabalho com as tochas.

— Deixa comigo. Vou encontrar muita, mas muuuuita pólvora! Tô precisando!

Usando o mesmo sistema de localização, ele seguiu por uma abertura estreita mais à direita. Com uma picareta de diamante na mão, esgueirou-se, e aproveitou para quebrar alguns blocos na lateral; era comum achar minérios preciosos assim, meio aleatoriamente. Authentic adorava coisas aleatórias.

Ele fez isso durante um bom tempo, descobrindo três focos de *redstone* e nada menos que oito locais com ferro. Isso era bom, mas ele queria outra coisa, algo muito melhor. Ele sabia que tinha que ir mais fundo para isso.

Procurou entradas que levassem a níveis inferiores. Continuou descendo e observando tudo, cuidadosamente. Quando tinha avançado cerca de vinte metros de profundidade além do nível inferior do *canyon*, ele começou a enxergar um pequeno foco de luz ao longe. Pareciam minúsculas explosões de fogos de artifício, porém bem discretas. Mesmo de longe, Authentic não teve dúvidas do que era aquilo.

Animado, empunhou sua espada de diamante e correu até lá.

✕✕✕

O erro de Authentic (o pior deles) foi a velocidade. Em muitos outros momentos, ser rápido tinha sido sua salvação, mas ali, naquele momento, fez com que ele cometesse um erro terrível.

Foi quando ele estava a menos de dez metros da câmara do *dungeon*. Ali, ele não teve o cuidado de fincar mais tochas nas paredes. Esqueceu ou, inconscientemente, achou que era desnecessário. Ele sempre se saíra bem desbravando aquelas estruturas.

Algo com que ele não contava era um buraco traiçoeiro, bem na sua frente. Quando seu pé direito pisou o *nada*, seu corpo desequilibrou e caiu, em direção à morte.

⁙⁙⁙

— É verdade? — cochichou um esqueleto, enquanto arrumava seu estoque de flechas. Ele e mais três esqueletos estavam de guarda no topo de uma montanha que rodeava a área de concentração do exército de mobs.

— Sim. Ela virá — respondeu secamente o segundo esqueleto.

— Nunca pensei que isso fosse possível. Ela não pode viver aqui — retrucou o terceiro esqueleto, visivelmente confuso, enquanto olhava para os lados, com medo de ter algum intruso.

— As bruxas, Maya e aquele aldeão deram como certo. Ela é nossa! — O terceiro esqueleto parecia contente. — Agora nós temos chance. Finalmente vamos poder nos vingar daqueles humanos malditos!

Era madrugada. A lua e as estrelas, com seus aspectos quadrados, estavam no alto do céu. Lá embaixo, dentro da caverna que havia sido ampliada em mais trinta vezes seu tamanho original, milhares de mobs se esbarravam, correndo para cumprir suas tarefas. O lugar tinha se tornado um verdadeiro labirinto de espaços de produção, orientados principalmente por Pedro.

Eles construíram vários andares subterrâneos. Níveis específicos para cada tipo de trabalho. Em um, mobs trabalhavam na criação de explosivos; em outro, dezenas de fornos fundiam metais, havia um para teste de poções das bruxas e mais outros com finalidades não totalmente claras. Tudo era muito efetivo, algo antes difícil de imaginar se tratando dos mobs. Todos se mostravam muito orgulhosos.

Em uma área mais distante, um grupo especial trabalhava no projeto Alfa. Em fase final de testes, eles criaram mobs gigantescos, cem vezes maiores que seu modelo comum. O *AlfaCreeper* media mais de dez metros, e carregava uma quantidade de explosivos capaz de destruir uma área equivalente a cinco domínios de planície. Mais de trinta metros. O AlfaEsqueleto era um pouco menor, e impunha um arco encantado altamente potente. Um teste de tiro confirmou seu alcance: derrubou um total de cinco árvores de tronco grosso, a uma distância de vinte metros. Se seu ataque fosse contra um minerador, nem a melhor armadura de diamante seria útil.

O exército já contava com cerca de cinco mil mobs soldados. Aquela espécie nunca teve tamanha organização, em toda sua história. Por ser a primeira vez, tudo era inédito: os problemas, os riscos, mas também a convicção do alto poder que tudo aquilo representava.

— Authentic! — gritaram pela centésima vez. Mas só o eco das paredes veio como resposta. Fazia mais de uma hora que ele havia sumido, sem mandar qualquer sinal de vida. Isso nunca aconteceu!

— Onde aquele idiota se meteu? — ralhou Nofaxu, irritado.

— Vamos atrás dele — disse Jazz, outro garoto do grupo.

Eles seguiram as tochas deixadas por Authentic. O caminho era sua cara: pontos de minérios encontrados ao acaso e um desejo incansável de descer mais e mais para as profundezas.

— Será que ele foi atacado por um mob? — perguntou Likea.

Ninguém sabia o que responder.

Seguiram a trilha de tochas em direção ao interior até chegar ao ponto em que não tinha mais tochas. Mais à frente eles puderam ver o que Authentic tinha visto antes de desaparecer. Era uma caixa de *spawner*. Ele estava certo. Tratava-se de um *dungeon* de zumbis.

Seus amigos foram mais cuidadosos. Antes de ir até lá, pegaram as armas e colocaram as tochas que Authentic esqueceu. Avançaram.

Foi Malena quem viu primeiro. Ela teve que se apoiar na parede tamanho foi o impacto que sentiu.

— Oh, não. Authentic, não! — e caiu no choro.

Atrás dela, os outros também viram um buraco profundo, que talvez desse num mar de lava, como era muito comum nos níveis mais inferiores. Descer até lá seria suicídio.

Tristes e desorientados, o grupo sentou-se no chão, cada um perdido em seus próprios pensamentos.

Naquele mundo, morrer não significava desaparecer para sempre. Quase todos ali já tinha morrido uma ou duas vezes! Quando isso acontecia eles reapareciam em seus lugares de origem, porém, sem qualquer memória. Era terrível! Até mesmo a personalidade da pessoa parecia mudar. Muitos meses eram necessários até que o sujeito tivesse traços de lembrança e melhorasse suas habilidades novamente. No fim, grande parte de seu passado se perdia.

Ali, calados, todos choraram a perda de Authentic.

xxx

— Hei! — murmurou um garoto, enquanto batia de leve na face de um Authentic quase morto.

— Vamos, você precisa comer isto — ele o sacudia, tentando acordá-lo.

Lentamente, Authentic foi voltando a si. Sentia uma dor horrorosa no corpo inteiro. Como se tivesse sido pisoteado por cem vacas. Sua armadura estava toda trincada.

— Ai! — ele grunhiu de dor.

— Você caiu feio. Teve muita sorte de sobreviver — o garoto disse, segurando-o nos braços.

A visão de Authentic começava a voltar ao normal. Ele apertou os olhos e encarou aquela pessoa estranha que o segurava.

— Quem é você? — ele perguntou, com voz fraca.

— Meu nome é Spok. Mas agora não é hora de batermos papo. Coma essa maçã dourada. Ela vai te dar forças — ele entregou a maçã a Authentic, que aceitou sem vacilar. Sentindo uma dor imensa no braço, ele levou a maçã até a boca e mordeu. Instantaneamente, as dores começaram a sumir.

— Nossa! — ele exclamou. Poucos minutos antes era como se seus membros fossem se soltar de seu corpo. O mal-estar na barriga também acabou. Authentic terminou de comer a maçã e sentou no chão, respirando profundamente.

— Como é bom estar vivo! — ele falou, visivelmente emocionado. Aquele tinha sido o pior acidente que já sofrera enquanto minerava. Cair de lugares altos era um dos maiores perigos que existia naquele mundo, ele sabia.

O outro garoto o observava, em silêncio. Ele tinha cabelos e olhos castanhos. Usava uma armadura de diamante, como a de Authentic. Parecia tranquilo.

Authentic olhou em volta e percebeu o ambiente onde se encontravam. Era um lugar bem diferente do resto do *canyon*. As paredes eram feitas de pedra trabalhada. De um tipo que ele nunca havia visto antes. Os dois estavam no canto de uma sala. Ele conseguia ver algo que parecia uma escada, bem no meio, mas não dava para ver aonde seus degraus levavam. Notou, no entanto, que havia um pequeno rio de lava embaixo.

— Você salvou minha vida. Obrigado — ele disse ao garoto, que só abanou a cabeça.

— Não precisa me agradecer. Você faria o mesmo por mim, no meu lugar, não faria? — ele retrucou.

— Sim — Authentic respondeu, sem vacilar. E era verdade. Ele salvaria a vida de qualquer pessoa que estivesse em situação de perigo como a que ele estava. Era de sua natureza.

— Então você se chama Spok. Pode me dizer que lugar é esse? — perguntou.

Spok levantou-se atento e respondeu.

— Nós estamos numa fortaleza secreta. Você caiu aqui por pura sorte. E isso ali no meio da sala é um portal para outro mundo, o mundo do Fim.

Authentic franziu a testa, incrédulo. Nunca tinha ouvido falar desse lugar. Lembrava só da

lenda de uma tal terra do inferno, chamada Nether. Mas ele não acreditava muito que era verdadeira. Embora não duvidasse completamente.

— Um portal para o mundo do Fim... Isso me soa meio assustador — ele disse, tentando brincar com a situação.

A resposta, no entanto, veio séria:

— Assustador é o que está acontecendo do outro lado desse portal — disse Spok, enquanto conferia suas armas, guardadas num pequeno saco de couro que trazia nas costas.

— Como assim? — perguntou Authentic, subitamente temeroso.

— Há algum tempo venho seguindo os passos de Maya, a aranha. Ela construiu um exército assombroso numa área vazia, ao norte daqui. Nesse momento, ela e os membros do conselho estão em audiência com os *endermen*, criaturas que habitam o mundo do Fim.

Authentic sentiu um calafrio percorrer-lhe a espinha.

Spok continuou:

— Se essa audiência tiver sucesso, Maya conseguirá o que quer, e seu exército estará pronto para a batalha.

— Quem é Maya, e de que batalha você está falando? — perguntou Authentic, confuso e acuado.

Spok pareceu um pouco desconcertado por Authentic não ter conhecimento de nada daquilo.

— Pedro nos visitou semana passada — vociferou Authentic, desesperado —, ele disse que estava tudo bem nas aldeias. Nada pra se preocupar. Se esse exército existisse mesmo, nós saberíamos! — E aí sua expressão foi ficando lentamente dura. — Não saberíamos?

Spok estava chocado. Era pior do que ele imaginava.

— Pedro é um dos líderes do exército mob, ao lado de Maya — disse Spok. Percebendo o horror nos olhos do outro, ele completou, cabisbaixo: — Você e sua aldeia foram traídos. Sinto muito.

CAPÍTULO 5

OS REFUGIADOS

O grupo resolveu voltar à aldeia. Perder Authentic naquele momento era algo terrível. Ele encabeçava muitas das expedições e tinha o controle de grande parte dos mapas. Apesar do jeito brincalhão, era um líder e isso fazia toda a diferença durante as muitas situações difíceis que apareciam.

Tristes, cavalgaram horas até a aldeia, certos de encontrar um Authentic *spawnado* em sua cama, mas que já não era o mesmo garoto que tinham conhecido.

Quando chegaram perto de casa, o grupo percebeu um movimento que não era normal. Em estado de alerta, esconderam-se atrás de um conjunto de árvores e observaram.

— São os aldeões da Vila do Leste — cochichou Cauê, que tinha olhos de águia. — Consigo vê-los. Eles estão conversando com Pac e Mike, bem no centro da aldeia.

Pac e Mike, em termos de cálculo, eram os mais velhos da aldeia. Fariam dezesseis anos naquele ano. Eram muito responsáveis e, por isso, meio que pais de todo mundo.

— Eles são quatro. Parece que tem um baú perto deles. Mas é enorme — reparou Cauê.

— O que está acontecendo? — perguntou Likea. — Quer saber? Vamos até lá.

O grupo foi pra aldeia e em poucos instantes chegaram lá.

— O que está acontecendo? — perguntou Nofaxu, descendo do cavalo e indo ao encontro dos aldeões de fora.

Eles continuaram em suas posições tranquilas.

Mas quando Nofaxu reparou na expressão de Pac e Mike, teve certeza de que qualquer que fosse o motivo da vinda dos aldeões, não era coisa boa.

Os outros chegaram mais perto. Todo o resto da aldeia fez o mesmo.

— Boa-tarde, senhor — começou a falar um dos aldeões, num tom respeitoso —, viemos em paz. — Ele estendeu a mão para Nofaxu, que, sem reação, o cumprimentou de volta, rapidamente.

— Nossa aldeia sofreu um massacre na noite passada. Um bando de mobs altamente agressivos incendiou nossas plantações, mataram nossos animais e invadiram nossas casas. Não restou quase nada. Éramos uma aldeia pequena. Nunca entramos em guerra com ninguém. Mesmo os mobs comuns não nos atacavam, porque sabiam que não tínhamos quase nada de valor.

O outro aldeão, que vestia uma túnica vermelha, entrou na conversa:

— Nunca vi tanta fúria num mob. Eles pareciam marchar. Era como um exército infernal! O barulho era terrível! Devia ter mais de cinquenta, cem deles. Foi o suficiente para arruinar o que levamos tantos anos para construir... Como puderam fazer uma coisa dessas? — o homem baixou a cabeça, parecia prestes a chorar.

Todos da aldeia, ao ouvir aquelas revelações sombrias, ficaram sem reação. A surpresa daquela triste notícia, o medo por esses perigosos inimigos, a tensão por, possivelmente, serem um alvo...

— Meus amigos — retomou Mike, com sua voz firme —, como dissemos anteriormente, sejam bem-vindos à nossa aldeia. Fiquem o tempo que precisar. Nós faremos tudo que estiver ao nosso alcance para entender o que está acontecendo, e uniremos forças para acabar com todos esses mobs! Eu lhes dou minha palavra.

Os aldeões agradeceram, em seguida mostraram os itens que trouxeram no baú. Ali havia minérios, poções e livros encantados, artefatos que podiam ser muito úteis numa possível batalha.

Enquanto o sol começava a se pôr, os visitantes foram levados para a casa de alguns moradores, onde ficariam por enquanto. Os anfitriões prepararam ensopados e pães para o jantar. Com os recém-chegados, a aldeia agora contava com quase trinta pessoas. Nunca havia estado tão cheia.

Jazz, que logo tinha corrido até a cabana de Authentic, voltava agora com uma expressão de terror.

— Likea, Nofaxu... — ele os chamou, baixinho — Authentic não morreu.

CAPÍTULO 6

OS ENDERMEN

Cerca de quinze criaturas negras e esguias cercavam Maya, Pedro e os outros três membros do conselho. Os olhos delas eram totalmente roxos e quadrados. Em alguns momentos, quando alguém as olhava nos olhos, elas tremiam de tanto desconforto.

Estavam numa pequena ilha, que parecia flutuar no meio do nada. Um nada escuro e silencioso. Perturbador. Era a obscura dimensão do Fim, o *The End*, um lugar totalmente feito de blocos verdes, as "pedras do fim". Por ali, circulavam dezenas de *endermen*, de aparência humanoide. Nos pontos extremos da ilha, erguiam-se imensos pilares roxos, feitos de obsidiana, uma pedra altamente resistente, formada

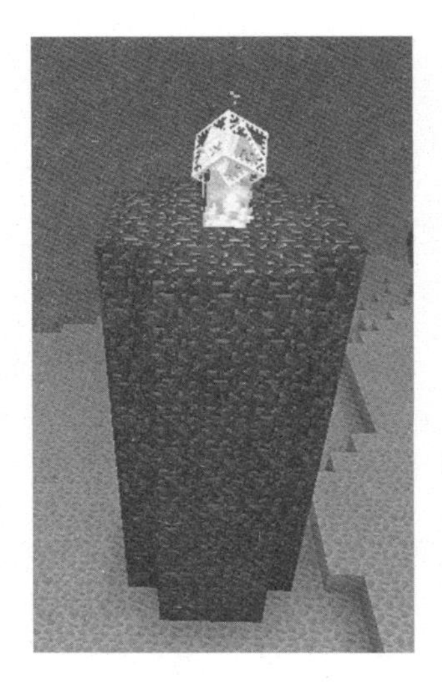

pelo contato da água natural com uma fonte de lava. No mundo normal, ela podia ser minerada, porém, não era algo fácil; só era possível quebrá-la com muito esforço e usando-se uma picareta de diamante.

Em cima dos pilares de obsidiana, dava para ver cristais, envoltos por dois quadrados tridimensionais, que rodavam. Abaixo do cristal, um foco de fogo que parecia alimentá-lo. Havia cerca de sete estruturas como essa naquela ilha.

Num ponto mais afastado, algo enorme e negro, de onde resquícios de pó roxo emanavam, parecia dormir, alheio ao que acontecia.

Antes de Maya falar qualquer coisa, entregou a um dos *endermen* um bloco de terra com uma flor vermelha. Ele, que parecia ser o líder, gastou um tempo só olhando pro presente, pra depois, satisfeito e com muito cuidado, colocar o bloco no chão.

— *What's up? Hm Brr. Que desejam?* — ele perguntou, com sua voz robótica.

— Meu amigo *enderman*. Temos notícias terríveis, que infelizmente incluem um de seus irmãos — ela vociferou, cheia de ódio. — Falo de um ato desprezível cometido por um bando de humanos miseráveis!

Ao ouvir aquilo, os *endermen* começaram a tremer. Alguns sumiam e apareciam em outro lugar da ilha, teletransportando-se, movidos unicamente pela raiva.

Pedro, mais do que esperto, se aproveitou do momento de revolta e falou:

— Eu, como aldeão, confirmo a acusação de Maya. Meus semelhantes arquitetaram um plano diabólico para o sequestro e escravidão de todos os *endermen*. E eles já começaram. Eles já têm um de vocês sob seu domínio! Essa maldade é fruto da expansão de uma aldeia, habitada por terríveis crianças. Sim, meus amigos. Um bando de crianças nojentas e ambiciosas — havia asco na voz de Pedro ao falar da aldeia, ele continuou: — Eu as conheci de perto. Elas só querem saber de uma coisa: acumular montanhas de minérios preciosos, destruir e subjugar todos os mobs, para então usá-los como escravos até que morram de cansaço!

Faíscas roxas saíam dos olhos de todos os *endermen*.

— É hora de nos unirmos para acabar com essa aldeia maldita, amigos *endermen*! — guinchou Maya, erguendo as patas de forma ainda mais perturbadora que de costume. — Nós criamos um exército forte e extremamente mortífero, como nunca existiu antes. Cinco mil guerreiros mobs, dispostos a tudo para libertar nossos irmãos e marcharmos para a ruína daqueles ladrões sequestradores! Depois, todos eles serão jogados numa prisão subterrânea no Nether, e lá ficarão para todo o sempre!

Os três generais grunhiram em aprovação. Pedro sorria, satisfeito.

— Neste momento, o exército mob clama pela entrada dos *endermen* na guerra! — Maya finalizou, no tom mais dramático que conseguiu.

Os *endermen* ainda estavam meio perdidos por causa da notícia do sequestro. Pedro e Maya esperavam por aquela reação, sabiam que os *endermen* eram criaturas extremamente instáveis. Na maior parte do tempo, eram neutras, não atacavam ninguém, mas bastava uma provocação e, fim de jogo, eles atacavam com tudo! Seus ataques costumavam ser devastadores, matava o que fosse: minerador ou mob.

Aquele que parecia ser o líder, recuperou o controle aos poucos. Num gesto que muitos nem sequer acreditariam ser possível para um *enderman,* ele olhou diretamente para Maya, ergueu o longo braço direito e apontou para o volume que se encontrava adormecido no outro extremo da ilha. Com os olhos faiscantes de pura ira, ele sentenciou:

— Agon.Hu.

Enderdragon!

⁂

Dentro de uma câmara minúscula, localizada bem abaixo de onde aquela conversa acontecia, estavam Spok e Authentic, encolhidos em silêncio.

Authentic estava em estado de choque. Era muita informação absurda para entender em tão pouco tempo. Junto com Spok, eles atravessaram o portal do Fim e escutaram toda a conversa entre os *endermen* e o tal conselho. Authentic tinha certeza que ouviu a voz de Pedro! Aquele mentiroso descarado! Traidor! A aldeia nunca escravizou nenhum mob! Só criavam animais e plantas! E a mineração era uma questão de necessidade. Eles precisavam de madeira e minérios para construir suas casas e ferramentas. Não faziam isso pra ficar ricos, como Pedro tinha sugerido. E eles não eram covardes! Todos eles eram capazes de dar a vida por um inocente.

Pedro, que ele considerava um amigo! Todos da aldeia o consideravam! Ele era tipo um conselheiro, um amigo de todos. Não só na aldeia de Authentic, mas em muitas outras. De norte a sul da região que conheciam.

Por que ele fez isso? Por que ele estava ajudando um mob perigoso como aquela aranha? Ela ia destruir todos os aldeões! Será que ele não se importava? Authentic não conseguia entender. Ele não podia acreditar. Mas era a verdade...

Spok, em silêncio, começava a compreender o drama daquele garoto. Talvez, pior do que não ter um amigo, era ser traído por um. Diferente dele, Spok sempre foi sozinho. A única companhia que teve naquele mundo foi uma carta de um desconhecido, encontrada num baú, no primeiro dia que chegou ali. Uma carta cheia de carinho e esperança, mas também com um pouco de medo. Mesmo nunca tendo conhecido aquele amigo oculto, sabia, em seu coração, que ele jamais o trairia.

Com os olhos marejados de tristeza e raiva, Authentic murmurou a Spok:

— Vou voltar para a minha aldeia agora. Esses malditos vão nos pagar!

— Eu estou com vocês — disse Spok.

CAPÍTULO 7

VOLTANDO PARA A ALDEIA

Authentic e Spok ralaram pra achar o caminho de volta para a superfície. Por sorte, Spok era cuidadoso e tinha marcado o percurso que fez desde sua chegada. Mas não com tochas, ele o fizera espalhando pó de *redstone* nas laterais das paredes.

Óbvio que ele não escolheu *redstone* por acaso. Sozinho, Spok tinha montado um esquema para explodir Maya e seus seguidores logo que entrassem na sala do portal. Mas algo tinha dado terrivelmente errado. Por alguma mutação bizarra, traças estragaram as duas camadas de dinamite que ele colocou cuidadosamente abaixo do salão do portal, por onde Maya havia entrado.

Quando Authentic literalmente caiu do céu, Spok estava digerindo o fato de que seu plano havia falhado. Contudo, ainda lhe restava o plano B.

Enquanto caminhavam, exaustos, em direção à aldeia, Spok começava a se sentir extremamente egoísta por ter tentado fazer tudo sozinho. Por que ele não foi procurar as aldeias e avisar do perigo? Por que, mesmo depois de tanto tempo, ele não deixava seu casebre subterrâneo na floresta para conhecer outras terras naquele mundo?

No fundo, sabia o motivo. Um motivo que se baseava em muitos outros. Ele nunca se conformou por não lembrar de onde tinha vindo. Evitava sair de perto da planície onde *nascera*, porque acreditava que um dia voltaria lá e de lá seria levado para seu verdadeiro mundo. Um mundo que ele não fazia ideia de como poderia ser. A única coisa que lembrava do *antes* era que ele tinha treze anos..

No mundo de cá ele só conseguia acreditar, de verdade, na existência dele e do seu amigo oculto que nunca tinha conhecido. Todo o restante parecia uma fantasia absurda na qual ele não devia confiar.

Spok queria ser o herói de seu pequeno universo. Ele destruiria o exército dos mobs sozinho, e as aldeias fantasiosas nem saberiam que essa ameaça sequer tinha existido... A vitória seria dele, dependeria inteiramente dele.

Sim, puro egoísmo.

Quando pararam debaixo de uma árvore cheia de galhos e folhas grandes, para descansar alguns minutos, Spok não conseguiu se segurar. Com a cabeça enfiada nos braços, ele começou a chorar feito um bebê.

Authentic voltava com um frasco de água quando viu o garoto naquele estado. Ele ficou totalmente sem reação. O que ele tinha?

— Spok. O que aconteceu? — ele abaixou-se. — Vamos, Spok. Me diga. O que você tem? Você salvou minha vida, e a gente vai salvar a vida de muitas outras pessoas inocentes. Por que está chorando? Está com medo?

Spok soluçava.

— Você não vai entender. Você não me conhece. Não sabe as coisas que eu fiz — ele murmurou.

— Me conte, Spok — Authentic pediu, calmo. — Confie em mim.

Lentamente, Spok levantou a cabeça. Seus olhos estavam inchados. Ele estava com vergonha de encarar o outro garoto. Mas não podia mais aguentar aquilo que sentia por dentro. Uma angústia horrível. Ele precisava falar.

Authentic o escutou atentamente. Spok contou desde o momento em que ele surgiu do nada no meio da planície. Falou do medo, do perigo que passou na primeira noite, do abrigo que tinha encontrado e do único amigo que tinha tido ali, e que só existia num livreto que ele guardava até hoje. Sentiu-se meio ridículo por isso, mas continuou.

Falou do tempo que levou pra se acostumar a tudo aquilo. Da descoberta por acidente dos planos de Maya, e por fim revelou seu plano egoísta de destruir a aranha e seu exército.

— Eu queria acabar com ela, com minhas próprias mãos. Toda vez que ela fazia aqueles discursos horríveis, era como se eu visse o mundo todo ficar escuro para sempre. E eu sempre tive medo do escuro. Ela precisava ser destruída de um modo que nunca mais pudesse voltar. *Eu* precisava destruí-la!

— Spok — Authentic o interrompeu —, está tudo bem. Você só tentou se livrar dela. Ninguém é perfeito, todo mundo comete erros. Você poderia ter vindo até nós? Poderia. Mas isso não ia garantir

nada. — Ele segurou o braço de Spok, com leveza e o olhou fixamente, havia ternura em seu olhar. — Nós estamos aqui agora. Você não está mais sozinho.

Authentic sorriu e tirou o capacete, bastante estragado por causa da queda. Ele o segurou nas mãos e mostrou a parte inferior para Spok. Ali estava gravado seu codinome:

Authentic, rei da pólvora e matador supremo de creepers.

— Você... — murmurou Spok, trêmulo — não é possível! ... Você é o meu amigo Authentic?! E... estava comigo o tempo todo! — Ele balbuciava, enquanto lágrimas brotavam de seu rosto, sem que conseguisse controlar. — Não é possível! — ele abraçou Authentic, que retribuiu o abraço com afeição.

CAPÍTULO 8

O PLANO DE ATAQUE

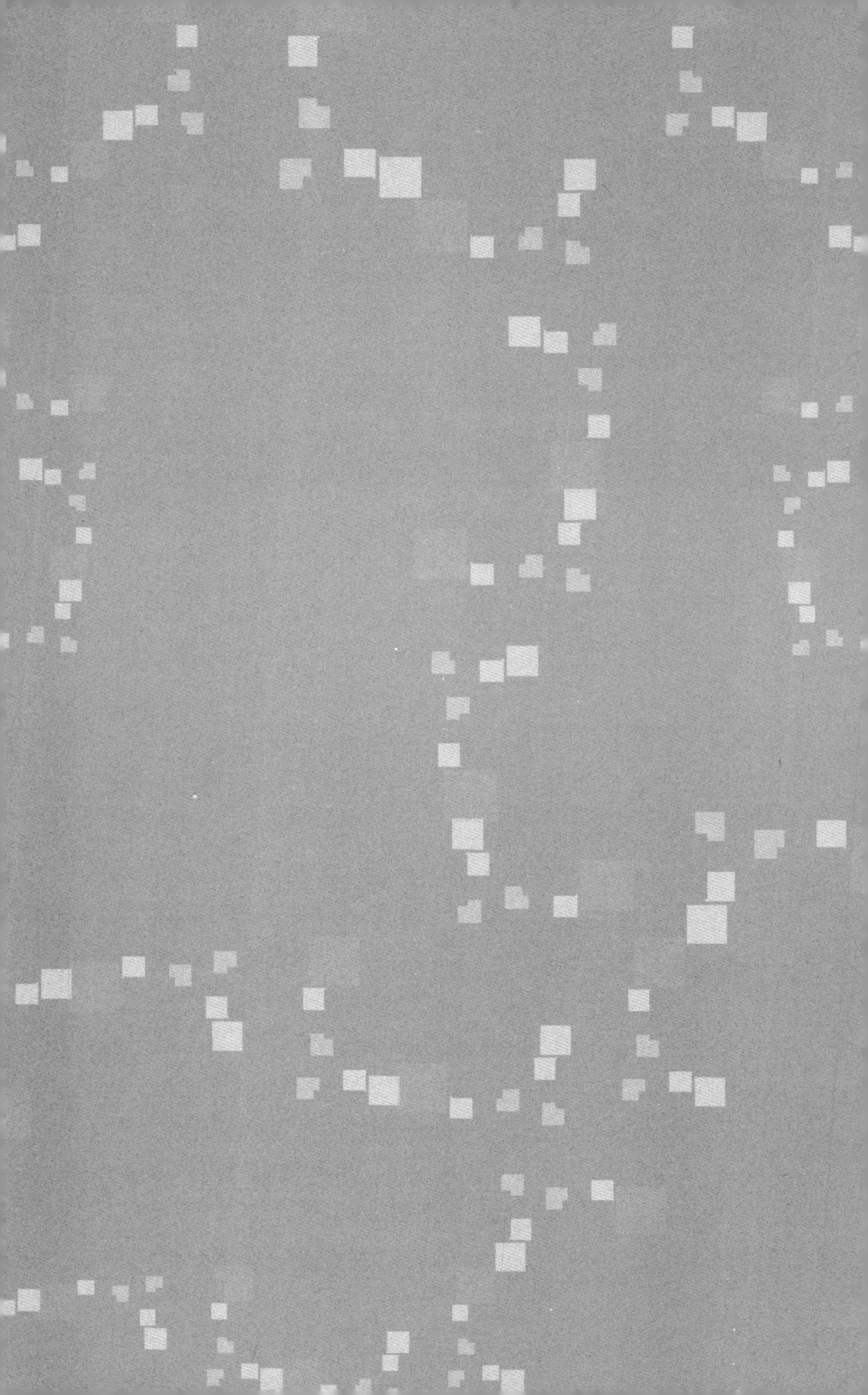

— Nós vamos acabar com aquelas formigas assassinas dentro de seu próprio formigueiro! — bravejou Authentic, erguendo sua espada de diamante.

Todos os moradores e também os refugiados estavam reunidos no centro da aldeia, todos empunhando armas e protegidos com armaduras.

O dia anterior havia sido de trabalho pesado para todos. Expedições de urgência para coletar madeira e qualquer coisa útil. Os fornos não pararam por um segundo, produzindo quilos e mais quilos de metais para a confecção das armas. Um depósito subterrâneo foi construído para armazenamento do estoque de comida da aldeia e os animais foram todos soltos numa área distante. As cercas da aldeia foram todas equipadas com pequenas guaritas de madeira, onde ficariam arqueiros. Todo o estoque de TNT foi utilizado para criar um verdadeiro campo minado em volta da aldeia, numa distância de mais de 500 metros. O botão de detonação seria colocado num ponto estratégico da aldeia.

Fora isso, eles dispunham de alguns materiais encantados e poções mágicas para força, regeneração e resistência ao fogo, dadas pelos aldeões refugiados.

Uma frente de trinta pessoas, sendo metade adolescentes, não era páreo para um exército de cinco mil monstros. Ninguém duvidava disso. A esperança da aldeia, na verdade, estava depositada no plano B de Spok.

Authentic e seus companheiros ouviram, duvidaram, mas depois concordaram que era a melhor chance. Parecia loucura, mas não tinha outra alternativa. Era isso ou nada.

Uma das poucas vantagens que tinham era que sabiam a localização do exército mob, assim como tinham detalhes sobre o projeto Alfa, o ponto-chave do plano de Spok.

O insano plano B de Spok era levar um grupo até a área do exército, sem serem descobertos, o que seria um desafio quase impossível de cumprir. Mas eles iam arriscar mesmo assim. Enquanto alguns do grupo se infiltrariam na caverna, pra informar sobre as posições dos mobs, a outra metade do grupo iria até o centro de controle Alfa. E aí viria a parte mais complicada. Eles teriam de lutar com uma pequena horda de esqueletos e conseguir chegar até os monstros Alfa. O interesse do grupo era só nos *AlfaCreepers*. Eles iriam dar um jeito de tirar os esqueletos-*kamikase* controladores (que ficavam na parte da cabeça do *AlfaCreeper*) e assumir o comando. Pelo que Spok sabia, cada *creeper* armazenava toneladas de explosivos. Depois de controlarem os *AlfaCreepers*, os cinco corajosos guerreiros deveriam guiar as criaturas até a grande caverna e ali jogá-los (antes, claro, apertariam o botão pra sair de cima deles).

Pronto. Agora vinha a parte rápida e feliz (se tiverem sucesso): era só acionar o dispositivo de *redstone* colocado na caverna por Spok, correr para bem longe e assistir ao espetáculo de mobs virando churrasquinho.

Teoricamente, o plano era bom. Restava saber se funcionaria.

Authentic, Spok e mais oito companheiros partiram da aldeia, determinados a tentar.

⁂

— Seus imprestáveis! Por que os guindastes ainda não ficaram prontos? — esbravejou Maya.

— Grande Maya, mil, mil perdões — gaguejou um zumbi que participava da construção dos guindastes, que sustentariam sete imensas torres de obsidiana. — Os grupos para trabalhar nisso receberam o prazo de... um dia!

— Eu quero... esses guindastes... prontos... imediatamente! — ela rugiu com sua cara peluda bem diante daquele zumbi.

— S...sim, g...grande Maya.

— E as torres? — ela levou seu corpo imenso até o outro grupo de trabalhadores.

— Só falta uma, Maya — respondeu um esqueleto, secamente.

— Muito bem — ela esfregou as patas, mais satisfeita. — É assim que eu gosto. Eficiência! Ao trabalho, todos! Apressem todos as atividades. Temos menos de um dia para nossa menina chegar!

Ao falar isso, Maya soltou um guincho sinistro.

Seus planos tinham dado certo. Ela havia conseguido montar todo seu esquema ofensivo. A pior parte era aguentar a imbecilidade da maioria dos mobs, mas ela se controlava, canalizando a energia abobalhada deles para o trabalho constante e pesado. Muito parecido com um regime de escravidão.

CAPÍTULO 9

A EXPEDIÇÃO

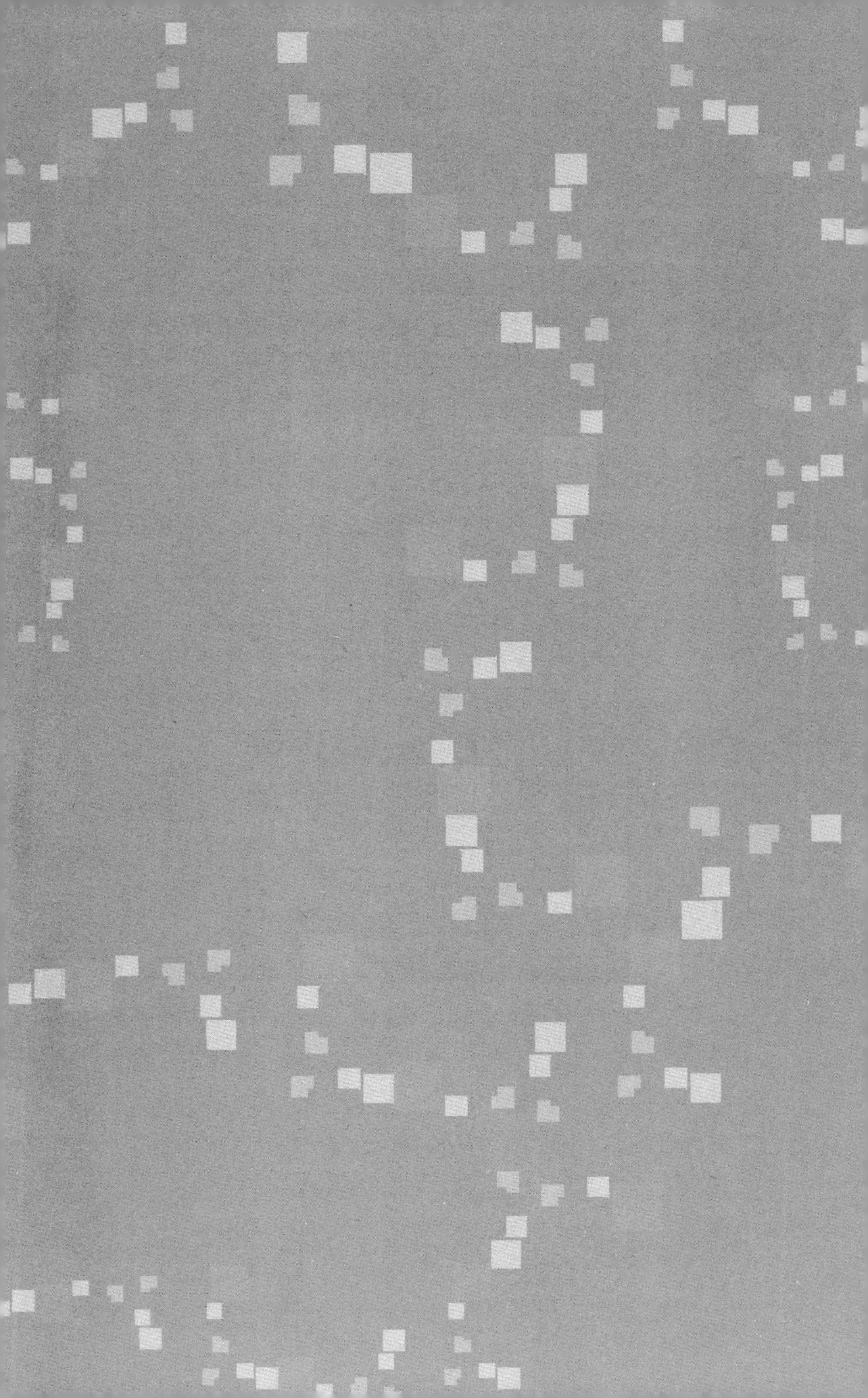

— É bem aqui — apontou Spok para uma marcação de carvão, feita num mapa bastante gasto. — Toda essa região aqui é vigiada por um grupo de esqueletos. São muitos quilômetros controlados. Podem ver que parece uma trilha. Foi Maya pessoalmente quem criou esse caminho, eles derrubaram duas montanhas para conseguir espaço. É por ali que seu exército vai marchar até a aldeia.

Spok pareceu refletir por um instante, e continuou:

— Como vocês devem imaginar, toda essa área aqui, que cerca a grande caverna, tem um baita esquema de segurança. Nem um filhote de coelho passa aí. Qualquer um que chegar perto toma flecha envenenada.

— O que você sugere, então? — perguntou Nofaxu, preocupado. O grupo havia cavalgado por um bom tempo. Naquele ponto onde se encontravam, segundo os cálculos de Spok, todo cuidado era pouco, pois começavam a entrar no domínio dos mobs.

— Todas as noites alguns mobs vêm à floresta para caçar e colher frutos pra alimentar o exército. Eles adoram ensopados, guisados e sopas. A preferida deles é a de cogumelos. De todas as vezes que observei eles cozinhando, eles sempre faziam sopa de cogumelos... Devo dizer que eu experimentei uma vez e era horrível!

— E daí? O que cogumelos têm a ver com o fato de a gente entrar naquele ninho de demônios? — perguntou Malena, irritada. Ela detestava pessoas que não iam direto ao ponto.

— Calma, Malena — pediu Nofaxu.

Spok fingiu que não tinha escutado, e continuou:

— Como estamos falando de cinco mil mobs doidos, eles precisam de bastante comida para alimentar todos eles. Ou seja... — ele fez uma cara de suspense, esperando que alguém matasse a charada.

— A-haaa!— Authentic deu um salto. — Eles colhem os cogumelos gigantes da floresta. Como não pensei nisso antes?

Spok sorriu, contente pelo amigo já ter entendido sua intenção.

— É simples — Spok retomou. — Os cogumelos gigantes, óbvio... são gigantes. Uns têm dez metros de altura. Os mobs sempre os cortam na base do tronco e levam inteiros pra cozinha do exército. Lá, um cozinheiro especial, que na verdade é uma lula muito estressada, prepara as refeições, com a ajuda de alguns outros mobs. A cozinha é o único lugar onde não circulam mobs de guerra...

— Hmmm — murmuraram todos, concordando com a cabeça. Àquela altura todos já tinham entendido o esquema. Era genial.

— Os mobs designados para isso são os menos inteligentes — disse Spok, maroto. — Eles só precisam ir lá e buscar os cogumelos. O que significa que eles não fazem nenhuma inspeção, nada. São bem burros, na verdade. O que temos que fazer é entrar nos cogumelos de uma forma que os mobs pensem que somos *carne de cogumelo* — ele riu. — Isso não vai ser difícil. Eu sei exatamente onde eles gostam de colher. — Spok levantou, animado, e emendou: — Já estava com saudade de ver aqueles tontos!

xxx

No quartel-general de Maya, todos recebiam as últimas instruções.

— Meus generais acabam de trazer as boas--novas. Nossa menina chegou! — seus guinchos de satisfação eram torturantes, até mesmo alguns mobs não suportavam mais. Ela continuou: — Os pilares de obsidiana já estão prontos, os cristais já foram colocados em seus lugares, e os guindastes já estão carregando tudo até o lugar que tínhamos definido. A menina será levada pelos nossos AlfaEsqueletos. Ela estará enfraquecida por ter sido desligada de seus cristais no *The End*, mas basta que os reconectemos nela, e aí aqueles aldeões desejarão nunca ter nascido!

Os generais, na tenda, assentiram com a cabeça, orgulhosos. Nunca estiveram tão perto de uma vitória como aquela. Lançar um exército desse nível? Seria só o começo das vitórias! Nada, nem ninguém, seria capaz de ficar no caminho dos mobs. O teste de ataque a algumas pequenas aldeias, com poucos soldados do exército tinha provado isso! Nos ataques de teste, todas as aldeias caíram e todos os moradores foram massacrados. Era uma questão de tempo até dominarem todo o mundo de Minecraft!

* * *

Quando o sol começou a se pôr, todos os aldeões já estavam prontos. O silêncio era absoluto. Só se ouvia o crepitar da madeira queimando nas tochas que rodeavam a aldeia, e do feno que alimentava uma imensa fogueira feita no centro.

Nas guaritas estavam quinze arqueiros, com arcos encantados e flechas. Atrás de um alto portão de madeira, feito de última hora, estavam os guerreiros da primeira frente de batalha, e mais atrás, os restantes, formados pelas crianças menores. Todos tinham treinado duro, agora restava saber se a coragem de um grupo pequeno podia ganhar uma guerra.

As áreas com água foram ampliadas, porque alguns mobs sofriam dano ou eram enfraquecidos se tivessem contato com o rio. Era o caso dos *creepers*, que ficavam imobilizados, e os temidos *endermen*, que ao caírem na água, entravam num tipo de curto-circuito, teletransportando-se de um lugar a outro de forma descontrolada. Após a revelação de

Authentic, sobre a entrada desses mobs na guerra, os aldeões ficaram tensos. Combatê-los era algo extremamente difícil, pois podiam aparecer e desaparecer no momento em que quisessem!

A seu favor, os aldeões tinham armas e armaduras encantadas, feitas de diamante, o que facilitava na hora de matar um mob. Mas acabar com cinco mil, já era outra história. Eles tentavam não pensar muito nisso e manter a esperança no plano de Spok.

Assim que o sol se pôs completamente, sons estranhos surgiram da floresta.

— Estão vindo! — gritou Mike, da principal guarita, bem acima do portão. — Cuidado!

Eles temiam que o exército de mobs contasse com catapultas de pedra, o que seria terrível pra aldeia. Mas não parecia ser este o caso.

Os sons ficavam mais e mais altos, indicando que a horda de mobs estava cada vez mais perto. Alguns seguravam tochas, mas de um brilho pálido. Parecia uma multidão de vultos assustadores caminhando pela noite.

Os aldeões lutavam contra o medo. Não podiam ceder ao pavor! Todos continuaram em seus postos, de cabeça erguida e armas na mão, à espera da primeira ofensiva.

— Eles estão trazendo pilares! — gritou Pac de seu posto.

— Pilares do quê? — gritou Mike, sem conseguir enxergar direito.

— São... Espere! — Pac parecia confuso. — ... Não pode ser!

— O que, Pac? — Mike disparou, desesperado.

— São pilares de obsidiana! Eles... — Pac mal encontrava forças para falar. Ele achava que aquela história era uma lenda. E ele tinha medo dela. Muito medo.

Reunindo todas as forças que restavam em seu corpo, Pac alertou a aldeia:

— Eles estão trazendo o *Enderdragon!*

Nesse mesmo instante uma corneta de guerra foi soprada. Guindastes imensos foram colocados no chão, fazendo tudo tremer como um terremoto. Na aldeia, todos sentiram o impacto.

Os dez enormes pilares foram dispostos em forma de círculo, enquanto dois esqueletos gigantes colocavam algo imenso e agitado no centro.

Os aldeões não acreditavam no que viam.

— Por que estão fazendo isso com pessoas inocentes? Por que Pedro permitiu tamanha crueldade? — um velho aldeão murmurou para outro que estava a seu lado, enquanto assistiam juntos àquele espetáculo de terror.

— É a maldade humana, meu velho amigo. Pedro não foi mais capaz de controlar seus impulsos perversos. Se antes conseguia, é só porque ainda não estava pronto. Ele está cego pela cobiça, mas seu caminho será permeado de ódio e solidão. Eu o perdoo justamente por isso. Ele não sabe, mas já está fadado a pagar caro por todo o mal que fez.

O outro aldeão baixou a cabeça, numa tristeza profunda.

Os cristais dos pilares foram acesos de uma vez só, iluminando toda aquela área com uma luz arroxeada. Dos cristais começaram a sair tubos de fluido, que iam de encontro à criatura escura no chão. Em um instante todos os tubos foram conectados a ela, e em seguida um rugido aterrador pôde ser ouvido a quilômetros de distância dali.

Os moradores da aldeia congelaram.

O imenso dragão negro abriu suas asas colossais e soltou uma baforada de fogo arroxeado pelas narinas. Alguns mobs que estavam perto foram atingidos, tornando-se tochas vivas. O dragão começou a bater as patas no chão. Tudo tremeu!

Enquanto isso, sua longa cauda, cheia de escamas, se movia furiosamente de um lado para outro.

— Aqueles cristais estão lhe dando força! — gritou um aldeão que conhecia a lenda do *Enderdragon*. — Mesmo que conseguíssemos atacá-lo, os cristais continuariam regenerando-o! É impossível matá-lo!

O dragão soltou mais um rugido assombroso. Com violência, afastou todos os mobs de perto. Agora totalmente fortalecido, ele começava a bater as pesadas asas para erguer-se do chão.

— Não temos chances contra um dragão! — murmurou um desolado garotinho de doze anos.

E ele estava certo.

ЖЖЖ

Authentic, Spok, Likea e Nofaxu se arrastavam lentamente por uma espécie de túnel cavado abaixo da grande caverna.

O plano de Spok tinha dado certo. Divididos em dois grupos de quatro, eles foram para a área onde cresciam imensos cogumelos. Por sorte, os mobs ainda não tinham chegado para a coleta.

Eles escolheram os dois maiores cogumelos, que mediam cerca de oito metros cada um. Subiram até a parte da polpa e lá se encaixaram, cuidando pra preencher toda a parte abaixo deles com uma camada de cogumelo verdadeiro, extraída de um maior, cortado e coletado antes.

Não demorou muito e logo ouviram o barulho infernal de zumbis. Já esperavam por isso, pois eles eram os mobs mais imbecis daquele mundo. Se tivessem que montar uma pirâmide de inteligência para os mobs, os zumbis estariam lá embaixo, na base. Diferente deles, os esqueletos podiam ser bem espertos em certas situações, assim como as bruxas, as aranhas, e até as traças, mobs que viviam nas profundezas das cavernas e também haviam entrado na guerra.

— *Grrr, vão morrer, eles todos vão morrer, Grrr!* — o grupo ouviu um dos zumbis vociferar, em meio aos grunhidos cheios de ódio.

Com ele havia outros quinze zumbis, tão raivosos e repetitivos quanto o primeiro.

Em meio a frases de raiva bestas e aleatórias, eles logo foram até os dois cogumelos gigantes e começaram a cortar o tronco bem na raiz.

— *Grande. Bom. Grrr. Sopa boa* — um deles grunhiu.

Quando pegaram os cogumelos, perceberam o peso muito maior que o normal. Por um momento, os dois grupos pararam e se entreolharam, intrigados. De dentro dos cogumelos, os jovens seguraram a respiração ao máximo.

Por sorte, um dos zumbis interveio:

— *Cogumelo muita carne. Grrr. Lula fica feliz. Grrr. Muita sopa. Sobra mais. Grrr.*

— *Errr, Grrr* — os outros zumbis grunhiram, em aprovação, e logo carregaram os cogumelos, com todo a força que tinham.

Desceram quatro andares, com os cogumelos nos braços, cada vez mais cansados, mas sem reclamar. Reclamar de qualquer coisa ali era querer problema com Maya.

Chegaram na cozinha e colocaram os cogumelos no chão, bem perto dos fornos. Com um cansaço tremendo, eles grunhiam de dor no corpo. Ao vê-los, a lula cozinheira ralhou:

— Bando de zumbis preguiçosos. Não servem para nada mesmo. Nem para transportar um maldito pé de cogumelo — ela os olhava com desprezo. — Vamos, cortem e coloquem na panela rápido. É a última refeição do exército, só falta essa maldita sopa!

Rapidamente, os outros seis zumbis que trabalhavam na cozinha foram até os cogumelos, segurando facas e enormes panelas.

Eles cortariam exatamente onde os aldeões tinham se escondido!

Mas quando deram os primeiros golpes na parte de cima, um completo vazio.

— Seus idiotas! O que estão esperando? Cortem logo isso! — a lula gritou do forno, jogando uma enorme colher de ferro nos zumbis.

— *Grrr. Algo errado, Grrr* — disse um deles, confuso.

Impaciente, a lula foi arrastando seus tentáculos negros até lá, ofendendo até a décima geração daqueles zumbis.

— Mas o que aconteceu aqui? — ela gritou, explosiva, ao ver o enorme buraco nos cogumelos. Com os olhos subitamente vermelhos de ira, ela voltou-se para os zumbis que os havia trazido e apontou a colher de ferro que pegara do chão.

— Vocês... seus vermes gulosos! — todo seu corpo tremia —, vocês vão se ver com Maya...

Acuados, os zumbis começaram a guinchar, tomados pelo horror.

* * *

— Quase me sinto mal por ter ferrado com aqueles zumbis inocentes — brincou Spok, enquanto percorriam o túnel.

Na hora que os cogumelos foram colocados no chão, o grupo aproveitou o momento de birra da lula pra sair. Entraram pelo túnel escavado por Spok ali, quase um mês atrás. Ele tinha vivido como um rato nas imediações da caverna desde que a tinha descoberto. Com o tempo foi ficando mais e mais habilidoso em se esconder e conseguir espionar tudo que acontecia naquele lugar sombrio e barulhento. Isso foi fundamental para que seu plano desse certo, agora com a ajuda dos outros jovens. A cada momento ele percebia que jamais teria conseguido sozinho.

Ao percorrerem quase um quilômetro no subsolo, em meio à terra úmida, eles se depararam com formações de pedra.

— Chegamos — Spok disse baixinho ao grupo. — Estamos bem abaixo dos Alfa. Agora abram as mochilas com cuidado.

x x x

Maya, Pedro e seus três generais estavam acompanhados por um grupo de mobs que faziam sua segurança pessoal. Cerca de vinte esqueletos, cinco *creepers* e três bruxas. Por perto, dezenas de aranhas escondidas, de olho no menor sinal de perigo. Eles seguiam por uma trilha cuidadosamente criada por Maya, e se dirigiam à caverna dos mobs.

A hora tinha chegado. Era noite e o exército mob terminava de se organizar. Todos estavam muito bem armados. Contavam com o apoio e reserva de poções mágicas, levadas pelo grupo de bruxas, que vinham no último bloco.

Os quatro níveis estavam lotados de mobs, mais de mil por nível, todos enfileirados e agitados. Esqueletos, *creepers*, zumbis, bruxas, traças e os temidos *endermen*, que se concentravam num pequeno espaço; eram menos de cinquenta, no total, mas podiam causar um estrago proporcional ao ataque de mil mobs comuns. Escudos e lanças rudimentares de pedra tinham sido dados aos zumbis, para que tivessem um pouco mais de chance contra os inimigos, isso poderia compensar sua falta de inteligência.

Aquela caverna era um verdadeiro ninho de vespas prontas para sair e atacar a qualquer momento. Todos acabaram de fazer a última refeição (não foi sopa de cogumelo) e esperavam pela ordem final do conselho para marchar até a aldeia.

⁜ ⁜ ⁜

Spok e os outros apareceram a alguns metros do centro de controle Alfa. Com cuidado, eles subiram pela abertura no chão e se esconderam atrás de um pequeno monte.

— O que Pedro está fazendo aqui? — murmurou Authentic aos outros, assim que viu o aldeão ao longe; ele vinha ao encontro do que parecia ser o comandante dos esqueletos, este que era levemente maior que os outros. Maya não estava com Pedro.

Seu passo era firme, enquanto seus olhos não transpareciam qualquer coisa boa, eram duros e frios. Authentic não acreditava que era o mesmo jovem que conversava com ele dos assuntos mais sérios aos mais bobos.

— Alto! — exclamou Pedro, ao chegar diante da parede de esqueletos. Ele fez uma reverência com o corpo, sendo cumprimentado de volta pelo comandante. Ele continuou, com uma voz tenebrosa que Authentic jamais ouvira antes:

— Conseguimos, meus amigos!

Ao ouvirem aquilo, mais de uma centena de esqueletos urraram, levantando seus arcos e grunhindo, em aprovação.

Por alguns instantes ele ficou a observar todos aqueles mobs, em silêncio. Por fim, balançou a cabeça e continuou:

— Generais movidos somente pela cólera não conduzem seus soldados até a vitória, eles os jogam no abismo. Guerras só podem ser vencidas se forem encabeçadas por um líder sensato — um ar sombrio tomou conta de seu rosto, e ele completou: — Um líder como eu.

O comandante assentiu com a cabeça, e os demais esqueletos urraram novamente, ainda mais agitados.

Spok estava chocado no esconderijo, assim como todos os outros, por causa de cada palavra pronunciada por Pedro.

O aldeão continuou seu estranho discurso, parecia fascinado consigo mesmo:

— Maya não era capaz de controlar seus impulsos. Não podemos culpá-la, ela é uma aranha selvagem. É de sua natureza atacar e destruir, só isso. Ela achava que podia governar, mas não tolerava qualquer tipo de frustração. Devido a isso, perdemos centenas de mobs, castigados por ela, sem qualquer julgamento. Se continuasse assim, como acham que ela iria tomar conta do exército depois do massacre da aldeia? Tudo ficaria muito pior. Todos nós estaríamos em risco o tempo todo!

— É verdade! — vociferou o esqueleto líder. — Maya estava cega pelo poder.

Com um sorriso de satisfação, Pedro falou:

— Maya caiu na nossa armadilha. Neste momento ela está presa na caverna minada, a muitos quilômetros da superfície. A qualquer movimento que tente fazer para sair, ela explodirá e continuará renascendo no mesmo lugar para todo o sempre, nascendo e explodindo! — ele deu uma risada demoníaca. — Sem vocês não teríamos conseguido. Eu saberei recompensá-los pelo esforço. — Pedro colocou o braço direito no ombro do esqueleto comandante e sentenciou:

— Podem acionar todos os Alfa, agora é hora de arrasarmos com aquela aldeia maldita! Eu, como líder fiel dos mobs, os guiarei até a glória!

— Avante, Alfas! — gritou o comandante para a horda. Nas proximidades se encontravam os monstros gigantes, separados por centenas de metros, por uma questão de segurança.

— Atenção, *kamikazes*, preparar para acionar os dispositivos!

Começou um barulho ensurdecedor de metal contra metal, enquanto enormes *AlfaCreepers* e AlfaEsqueletos testavam seus comandos básicos antes de partir.

— Ligar com potência total! — o esqueleto ordenou instantes depois, sendo prontamente obedecido. — Horda, marchar! — ele finalizou.

Com Pedro na frente, feito um orgulhoso domador de circo, vinham os monstros gigantes, seguindo-o a passos pesados. Cada Alfa media mais de dez metros e pesava toneladas. No caso dos *AlfaCreepers*, eram recheados de explosivos, já os AlfaEsqueletos eram forrados interiormente com ferro puro, o que dava pra eles uma potência de ataque ainda maior.

Se todos alcançassem seus alvos, seria um massacre fulminante.

⁂

Em seu esconderijo, enquanto Pedro mostrava todo seu veneno pros mobs esqueletos, Authentic se sentia cada vez pior, mais perturbado.

Parecia que tinha uma coisa ainda mais terrível nos planos daquele traidor. Algo que talvez ele não revelasse nem aos seus capangas mais próximos (que deviam ser os três generais do conselho, antes fiéis a Maya).

Não tinha nenhuma lógica atacar uma aldeia minúscula com um exército tão grande quanto aquele. Cinco mil mobs que ainda seriam ajudados por dez monstros gigantes... Para um alvo tão frágil como a aldeia? Por quê?

Authentic se viu mergulhado em pensamentos mais sombrios. Ele tinha certa dificuldade em imaginar coisas terríveis arquitetadas por quem quer que fosse, mas naquele momento, ao presenciar Pedro em toda a sua frieza, Authentic conseguiu imaginar.

Ele mentiu sobre tudo! Desde o início! Os sequestros de mob, a lealdade a Maya, até mesmo sua preocupação com os mobs. Pedro tinha criado um teatro e atuou nos bastidores a maior parte do tempo, como diretor, mas agora ele se via poderoso o suficiente para assumir o papel principal!

A pequena aldeia das crianças tinha sido só uma desculpa para ele. Assim como o massacre das outras pequenas aldeias. Não tinha nenhum motivo verdadeiro para incitar aquele levante contra os humanos. Nem os mobs conseguiam ter tanta raiva a ponto de se vingar. Sua sorte tinha sido Maya e sua competência, o que, lógico, Pedro devia discordar na frente dos mobs. No final das contas ela tinha sido uma verdadeira suicida, dando tudo de bandeja para Pedro, esquecendo das próprias fraquezas. Era como se tivesse dado a Pedro o punhal com que ele a mataria.

A cabeça de Authentic rodava enquanto ele refletia sobre todas essas possibilidades.

Destruir a aldeia era só o começo de seu plano de dominação altamente ambicioso. E a razão, agora Authentic sabia: era para alimentar sua própria vaidade.

* * *

Pedro marchou com sua horda até a caverna mob. Lá, apresentou seu discurso de vitória, mentindo sobre a ausência de Maya. Ela estaria guiando uma guarnição especial na aldeia.

Nenhum mob desconfiou que ele estivesse mentindo. Todos só pensavam numa coisa: avançar e destruir, realizando o sonho da grande líder! Apesar de tudo, os mobs tinham grande devoção por Maya.

A lua, pálida e prateada, estava bem no alto do céu, jogando sua luz sobre a fenda daquela imensa caverna. Ninguém estranhou quando os *AlfaCreepers* começaram a caminhar, mesmo sem ter sido dada a ordem de partida. A alegria daquele momento deixou todo mundo meio perdido.

— Senhor... os *AlfaCreepers*... — disse um dos esqueletos a seu comandante, ele tinha sido o único da horda que percebeu o movimento estranho.

Quando o líder virou-se, era tarde demais. Os cinco imensos monstros verdes caminhavam a passos firmes em direção à caverna.

Pedro empalideceu ao olhar para trás e ver aquela cena.

— Faça-os parar imediatamente! — ele gritou para o líder dos esqueletos, que estava sem reação.

— Parem! Eu mandei parar! — ele berrou apontando o braço ossudo para os *AlfaCreepers*. — Detenham-nos! — ele ordenou para a horda de esqueletos.

Logo o horror tomou conta de Pedro. Ele percebeu que as cabeças dos *AlfaCreepers* estavam vazias. Os esqueletos *kamikazes* não estavam mais lá. A cápsula de controle havia sido esvaziada!

— Não! — ele foi ao chão desesperado, tremendo como uma criança medrosa.

Por mais que centenas de mobs tentassem barrar a marcha dos cinco *AlfaCreepers*, eles não foram capazes de derrubá-los.

Tudo durou menos de um minuto. Enquanto o pessoal de dentro da caverna não sabia o que estava acontecendo, os de cima esperavam o pior.

— Evacuar! — foi a última ordem que Pedro deu, antes de os cinco *AlfaCreepers* despencarem dentro da caverna, um em cima do outro, causando uma explosão violentíssima e devastadora.

Enquanto isso, bem longe dali, cinco AlfaEsqueletos marchavam pela floresta, seguindo a impecável trilha de Maya, que os levaria até a aldeia. Dentro deles, apertados nas cabines de comando, dez jovens estavam em transe. Eles haviam conseguido barrar o exército de mobs. Não haveria mais guerra. A matança de inocentes tinha acabado. Eles estavam mais do que felizes.

O que não sabiam, é claro, é que na aldeia acontecia uma verdadeira carnificina.

CAPÍTULO 10
O ENDERDRAGON

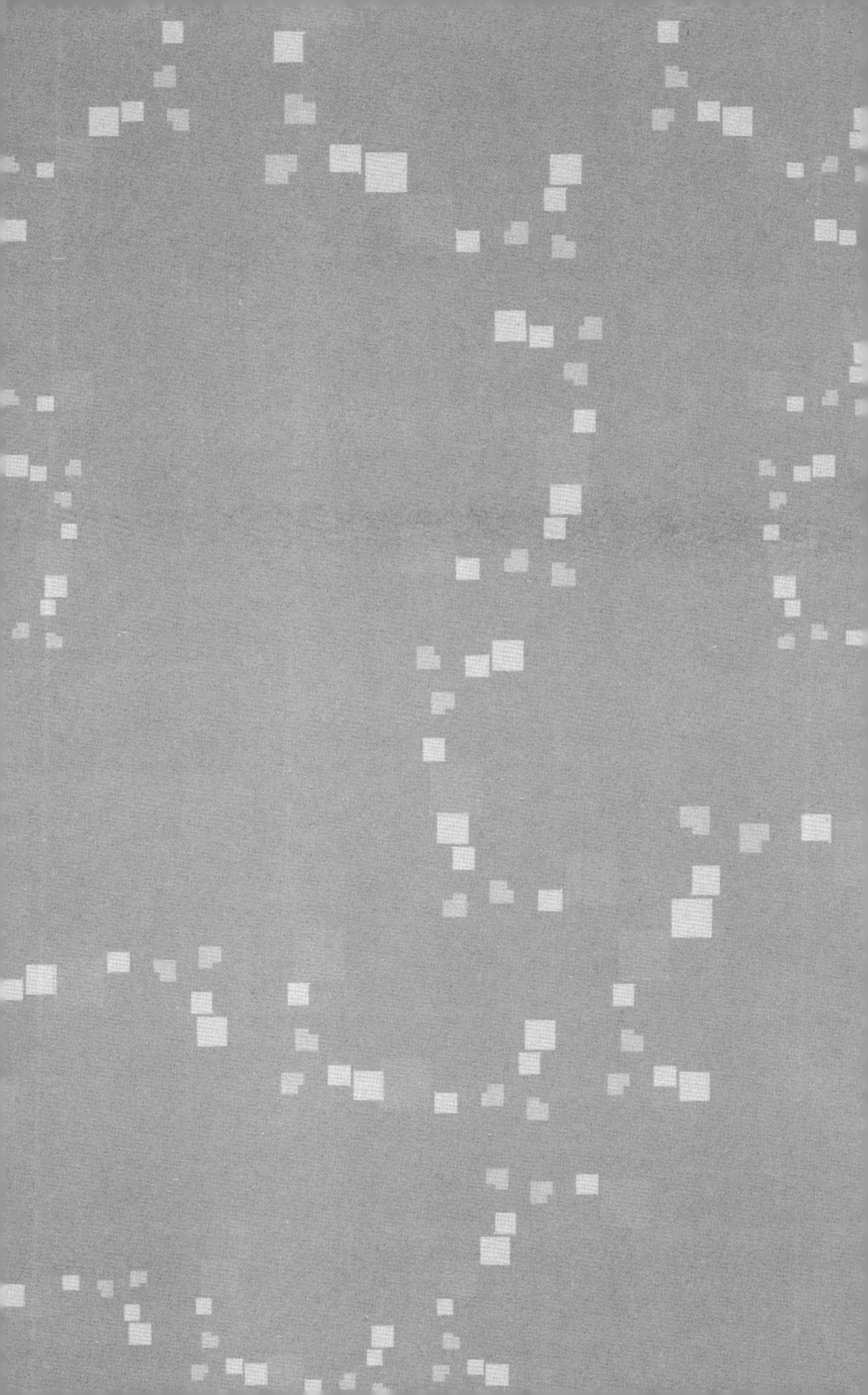

Quando avistaram, ainda longe, a quantidade absurda de fumaça que vinha da aldeia, o sorriso e as brincadeiras sumiram.

— Não é possível... — gritou Authentic — aqueles... malditos! Eles mandaram uma tropa pra atacar antes? Não faz sentido!

Todos sentiam a mesma coisa, por mais que não falassem. Alguns choravam, outros tinham as mãos na boca. Até mesmo Spok, que conheceu a vila há pouco tempo, ficou devastado. Não queria perder ninguém! Os moradores da aldeia tinham sido tão bons com ele!

À medida que se aproximavam, perceberam que aquela fumaça não vinha só do incêndio da aldeia. Tratava-se, na verdade, de enormes labaredas escuras e arroxeadas lançadas por um terrível dragão! Este dragão estava rondando a aldeia, com voos rasantes enquanto lançava fogo em tudo que encontrava em seu caminho. A cena era horrível.

Como os outros jovens da aldeia, Authentic só conhecia a lenda do dragão por ouvi-la da boca de viajantes. Ninguém nunca provou nada. Quando esteve no *The End* com Spok, eles não viram a besta. Ficaram o tempo todo escondidos, até a hora de voltar para o portal, o que fizeram antes de Maya retornar.

Ele sabia da existência dos *endermen,* conhecia o barulho característico que faziam. Por isso, naquela hora, sabia que Maya falava com aqueles mobs. Spok, que seguiu os passos de Maya até o *The End,* também não sabia da existência do dragão, apenas dos *endermen.* Maya ficava falando o tempo todo da vinda de uma *menina.* Ele pensava que era um filhote de mob ou algo do gênero. O perigo a que ele se referira era a própria presença dos *endermen.*

Mas agora ele descobrira, da pior forma possível, quem era a tal *menina.*

Sem pensar nem por um segundo, apertados nas cápsulas de controle dos AlfaEsqueletos, os dez pequenos se dirigiram até a aldeia.

* * *

— Spok e Likea, atraiam os mobs até as minas. Quando conseguirem, deem o sinal. Eu, Nofaxu e os outros vamos lutar com o dragão! — disse Authentic, como um general.

E lá se foram.

Ao avistar os intrusos, o dragão ficou momentaneamente surpreso, mas não parou de atacar seu alvo. A aldeia já estava quase completamente destruída. Dentro, muitos mobs lutavam contra os aldeões, que resistiam bravamente, apesar dos ferimentos.

— Dragão maldito! — vociferou Authentic. — Eu vou te pegar! — ele disse, assumindo o controle do AlfaEsqueleto com fúria.

— Aqueles cristais o regeneram — gritou Malena, de dentro de um AlfaEsqueleto. — Já ouvi falar uma vez. Antes de atacar o dragão, temos que acertar os cristais!

— Deixa comigo! — disse Nofaxu, que comandava o terceiro AlfaEsqueleto com mais dois companheiros! — Distraiam o dragão, enquanto fazemos isso!

— Positivo! — respondeu Authentic.

No chão, os aldeões usavam tudo o que lhes restava de força e armamentos. Ao avistarem os AlfaEsqueletos, imaginaram o pior. Seriam atravessados pelas flechas daqueles monstros, se não fossem simplesmente pisoteados. Alguns pensaram até em desistir! Mas, quando viram o movimento diferente deles, perceberam que não estavam ali para atacá-los. E, ao contrário, se encheram de esperança! Continuaram a lutar, a resistir!

Nofaxu começou sua missão de acertar os cristais. Mas era muito mais difícil do que ele imaginava.

O dragão não demorou pra perceber sua intenção e deu voos rasantes perigosíssimos ao seu redor.

— Vá se ferrar, seu dragão maldito! — gritou Nofaxu. Ele posicionou o arco do AlfaEsqueleto e colocou uma flecha. Tentando manter a calma, mirou no cristal que estava mais perto, respirou fundo e atirou.

O barulho de estilhaço fez o dragão soltar um uivo aterrorizante. Os mobs nas redondezas, que acompanhavam ao longe, começaram a correr até lá, mas foram interceptados pelos outros dois AlfaEsqueletos que os aguardavam, iniciando-se uma luta selvagem.

— Eles estão do nosso lado! — gritou um aldeão já esgotado, observando a luta dos AlfaEsqueletos. — Os meninos conseguiram!

Sua empolgação, no entanto, teve um preço alto demais. Como num raio, ele viu-se atingido pela flecha fatal de um esqueleto.

O dragão estava cada vez mais furioso. Por onde voava, jogava sua imensa cauda, varrendo a superfície e, vez ou outra, atingindo um aldeão.

Nofaxu conseguiu destruir quatro cristais. E Authentic tentava acertar o dragão com as flechas do AlfaEsqueleto. Mas aquilo parecia impossível. O dragão era rápido demais, e quando estava ao alcance, soltava baforadas de fogo, o que impedia as investidas de Authentic.

Do lado de fora, Spok, Likea e os outros lutavam com os mobs restantes. Eram mais de cem e pareciam altamente treinados. Bem diferentes dos mobs bobos de antes.

— Venham, seus monstros idiotas! — gritava Spok, enquanto os puxava para o campo minado em volta da aldeia.

Restavam dois cristais para Nofaxu derrubar, quando suas flechas subitamente acabaram.

— Que droga! — ele ralhou, inconformado.

Authentic começava a conseguir atacar o dragão. Com apenas dois cristais a regenerar, ele parecia mais defensivo, mas, os poucos ataques rasantes que dava, estavam ainda mais potentes.

Dentro da aldeia, os aldeões pareciam ter recuperado uma força desconhecida. Ao verem a luta nos ares, muitos deles passaram a achar possível que o dragão fosse vencido.

O mesmo garotinho que tinha ficado desolado ao saber da existência do dragão, continuava de pé, lutando bravamente contra os zumbis. Seus olhos brilhavam, ele acreditava que aqueles deuses enviados dos céus matariam aquele dragão horrível e todos viveriam em paz novamente.

Mike, Pac e os rapazes mais velhos, que também resistiam, sentiram-se revigorados com a chegada dos AlfaEsqueletos. Usando suas espadas de diamante, eles atacavam de forma arrasadora os mobs que encontravam pela frente.

Em certo momento, ouviu-se um grito vindo do lado de fora da aldeia. Era o sinal de Spok para Authentic. Ele conseguiu levar a horda de mobs para o campo minado, e agora se encontrava numa distância segura para que iniciassem a detonação.

— Perfeito! — exclamou Authentic.

Rapidamente, Spok foi até um ponto bem na entrada da aldeia, onde estava o botão de detonamento.

— *Hasta la vista*, seus malditos! — ele falou entredentes, e pisou no detonador usando o corpo do AlfaEsqueleto.

A explosão cegou todo mundo por um instante. O barulho foi ensurdecedor e seu efeito, devastador. Toda a área que contornava a aldeia tornou-se um buraco profundo. Todos os mobs que estavam ali explodiram, e deles só restaram algumas armas quebradas e carne podre dos zumbis.

Os mobs que estavam lutando dentro da aldeia, ao ver aquela cena, ficaram subitamente congelados. Eles não contavam com um golpe assim. Na situação que tinham chegado com o orgulho de Maya, algo como aquilo era inadmissível. O impacto da realidade os deixou meio perdidos, o que deu a oportunidade de um contra-ataque fulminante dos aldeões.

O dragão parou por um instante nas alturas. Seus olhos soltavam fagulhas roxas. Ele balançava a cauda furiosamente. Parecia pensar sobre o que fazer. Os *endermen* que estavam em meio aos mobs lá fora tinham ficado completamente presos na corrente de água do subsolo, paralisados. O dragão já havia sofrido vários ataques certeiros de Authentic. Outros dois AlfaEsqueletos vinham em sua direção, e ele sabia que eles destruiriam os dois últimos cristais. Só lhe restava um último ataque.

Ele balançou suas asas com força. Olhou atentamente para Authentic dentro do AlfaEsqueleto e soltou um rugido. Ele então afastou-se mais para trás, indo para o alto, e posicionou-se.

Authentic percebeu o que ia acontecer. O AlfaEsqueleto já estava bastante danificado. Ele não resistiria.

O dragão veio como um raio. Numa velocidade que Authentic nem imaginava que ele era capaz de atingir. Foi uma questão de segundos. Quando o dragão estava a poucos centímetros para atingi-lo, Authentic manobrou o pesado AlfaEsqueleto para a direita, fazendo a enorme besta perder seu alvo e despencar no chão da aldeia, atingindo vários mobs. Tudo tremeu.

Nesse momento, os dois AlfaEsqueletos haviam acabado de atingir os dois últimos cristais nas torres de obsidiana. Os últimos tentáculos de regeneração se soltaram do corpo do dragão.

Sem esperar, Authentic se ejetou da cápsula do AlfaEsqueleto, empunhou sua espada de diamante e jogou-se para cima do dragão.

Com um golpe fulminante, Authentic atingiu o monstro no pescoço. O dragão deu um rugido de agonia e fúria, que fez seu corpo inteiro balançar.

Todos que estavam na aldeia correram para fora, até mesmo os mobs, em sua maioria zumbis.

Pálidos de susto e cansaço, os aldeões não sabiam o que esperar. Será que aquela fera tinha mais alguma reserva de energia que faria tudo começar de novo?

O dragão começou a se remexer violentamente.

— Corram! — gritou Authentic para os que estavam perto.

Ele também começou a correr.

O dragão parecia ter uma convulsão, e continuava a urrar de raiva, mas também de dor.

Ele puxou uma lufada de ar com dificuldade, e então explodiu numa nuvem arroxeada e barulhenta.

Authentic não conseguiu enxergar nada. Parecia o nascimento de uma estrela. A claridade era insuportável.

Alguns instantes depois, todos voltaram a enxergar. O dragão tinha desaparecido completamente, criando uma enorme cratera no chão da aldeia.

Perto dele, no entanto, surgiu algo muito estranho.

— Não cheguem perto, pode ser perigoso — Authentic alertou.

Tratava-se de uma estrutura formada por uma pedra raríssima. A pedra matriz, só encontrada nas profundezas mais absurdas daquele mundo.

Em cima dessa estrutura se erguia um pilar feito do mesmo material. Ao redor dele estavam fincadas quatro tochas. E acima desse pilar estava um ovo. Um ovo de dragão.

Todos estavam tão absorvidos por aquela visão estranha, que nem perceberam quando dezenas de mobs que tinham sobrevivido, agora extremamente assustados, começaram a correr para longe da aldeia.

— Já vão tarde, seus miseráveis! — gritou Nofaxu.

Após o medo inicial, Authentic se aproximou do ovo. Ele nunca tinha visto algo assim na vida. Nem ele nem ninguém que estava ali.

Spok se aproximou também, curioso.

— Não parece perigoso — ele disse.

De repente, ouviu-se um barulho. Todos recuaram, assustados. Aquele barulho tinha vindo do ovo.

— Não é possível! — Authentic levou as mãos à cabeça. Seus olhos estavam arregalados.

Ali, diante de olhares cheios de curiosidade e medo, o ovo deu uma chacolhada violenta e sua casca rompeu-se totalmente.

Dentro dele havia uma criaturinha minúscula, com uma aparência frágil e inofensiva. Com seus grandes olhos escuros, ela encarava Authentic fixamente.

— É um dragão vermelho! — ele exclamou.

LEIA TAMBÉM

HEROBRINE
A LENDA

AUTORES: Pac e Mike com Gustavo Magnani
GÊNERO: Literatura Infantojuvenil
ACABAMENTO: Brochura
FORMATO: 13,5x21cm
PÁGS: 216
PESO: 230g
ISBN: 978-85-8130-343-7
PREÇO: R$ 29,90

O TazerCraft é um dos maiores sucessos da internet brasileira. Trata-se de um canal no YouTube que mobiliza milhões de jovens, diariamente, em histórias que prendem até o último segundo. No total, são mais de 1,5 bilhão de visualizações, sendo 20 milhões da série "Herobrine: a lenda", 4,5 milhões de inscritos e uma aventura que não poderia ficar restrita apenas às telas dos computadores. Por isso, essa webserie (e filme) ganhou livro, para contar, com mais profundidade, com novos acontecimentos, com muito mais batalhas e emoção, uma história cheia de tensão, reviravoltas e o melhor ingrediente do mundo: aventura! Sem perder o charme dos vídeos e o conhecido jeito irreverente de Pac e Mike. Para melhorar, a dupla mostrou todo o talento num texto leve e empolgante, que envolve o leitor da primeira até a última página. Em *Herobrine: a lenda*, o amado quarteto está de volta: Felipe, Peter, João e Victor! Os quatro amigos viverão uma aventura que nem o mais crente dos habitantes de Mine poderia imaginar. Para os fãs, a edição conta com mais 30 ilustrações impressionantes que fazem os personagens saltarem - literalmente - no decorrer do livro.

— Leiam os seguintes comentários de alguns dos Youtubers mais famosos do país —

Um universo inteiro pra você se sentir parte! Personagens marcantes e uma história muito detalhada. Leitura mais do que divertida, pra todas as idades! Recomendo muito! **(CELLBIT)**

O livro dos moços Pac e Mike é INCRÍVEL. Você entra no mundo dos personagens de uma forma inexplicável. Muito bom e super recomendo. **(AUTHENTICGAMES)**

Esse livro é perfeito! Contando todos os detalhes da grande história, tudo dos personagens e ainda mais coisas sobre a série do Herobrine... você se sente realmente dentro do livro! Recomendo demais. **(FEBATISTACRAFT)**

SOBRE OS AUTORES:

Por muito pouco, **PAC** não é um *hermano*. Quando ele estava para nascer, seus pais trabalhavam na Argentina. Mas decidiram ter o filho no Brasil, por causa da burocracia. E foi assim que, no dia 26 de julho de 1995, Pac *spawnou* na cidade de Londrina, no Paraná. Foi lá que ele criou todo o seu elo com a internet, desde antes do próprio TazerCraft, quando tinha um *blog* de humor. Na infância, sofria *bullying* agressivo, o que o fez mudar de escola e ter um olhar muito mais humano e cuidadoso para qualquer outra pessoa. E foi com esse olhar que, junto com um primo, nas férias de julho, criou TrazerCraft, um dos maiores canais do Brasil. O primo não conseguiu permanecer no projeto, mas outro integrante já dava as caras: Mike.

MIKE *spawnou* no dia 8 de maio de 1997, na pequenina Aragoiânia, cidade com 7 mil habitantes. Mesmo com uma infância humilde, cresceu no meio dos jogos, já que seu pai era dono de uma *lan house* de *games*. Sempre foi fissurado em computador, fóruns e comunidades, até que, através de uma delas, se juntou ao TazerCraft. Além de todas as suas paixões, adorava desenhos animados e o processo de criação deles. Hoje, através de suas próprias webseries e filmes (como Herobrine), é um dos criadores mais influentes da internet, junto com Pac.

INFORMAÇÕES SOBRE A

GERAÇÃO EDITORIAL

Para saber mais sobre os títulos e autores
da **GERAÇÃO EDITORIAL**,
visite o *site* www.geracaoeditorial.com.br
e curta as nossas redes sociais.

Além de informações sobre os próximos lançamentos,
você terá acesso a conteúdos exclusivos
e poderá participar de promoções e sorteios.

geracaoeditorial.com.br

/geracaoeditorial

@geracaobooks

@geracaoeditorial

Se quiser receber informações por *e-mail*,
basta se cadastrar diretamente no nosso *site*
ou enviar uma mensagem para
imprensa@geracaoeditorial.com.br

GERAÇÃO EDITORIAL

Rua Gomes Freire, 225 – Lapa
CEP: 05075-010 – São Paulo – SP
Telefax: (+ 55 11) 3256-4444
E-mail: geracaoeditorial@geracaoeditorial.com.br